CLAUDE DEBUSSY

PRÉLUDE

à l'après-midi d'un faune
for Orchestra

Edited by/Herausgegeben von/Édition de
Jean-Paul C. Montagnier

Ernst Eulenburg Ltd
London · Mainz · Madrid · New York · Paris · Prague · Tokyo · Toronto · Zürich

CONTENTS

Ernst Eulenburg Ltd
48 Great Marlborough Street
London W1F 7BB

PREFACE

Not only is the *Prélude à l'après-midi d'un faune* the first masterpiece by the young Achille-Claude Debussy, but it may also be considered one of the most – if not the most – important starting points of modern music, anticipating some characteristic and colourful instrumental touches that he himself would employ in his later works.[1]

By 1890, Debussy and many other Parisian artists were delighted by Stéphane Mallarmé's quest for an Ideal, in which extreme refinement of language and blank verse lead to a diffuse syntactical order. In the latter, words transcend their literal meaning to become themselves genuine musical sounds. Mallarmé's eclogue *L'Après-midi d'un faune* – which in its first draft, *Monologue d'un faune*, dates from 1865 – was completed and published in 1876. Debussy probably became acquainted with the poem after his return to Paris from the Italian capital in March 1887, where he had spent almost two years after having won the coveted Prix de Rome in June 1884 with his cantata *L'Enfant prodigue*.

As has recently been established, the two artists met for the first time in the fall of 1890 through A.-Ferdinand Hérold, grandson of Louis-Joseph-Ferdinand Hérold, composer of the successful opéra-comique, *Le Pré aux clercs* (1832). By that time, Mallarmé was looking for a composer able to write some incidental music for a production of his *Après-midi d'un faune* at the Théâtre des arts. The premiere was to take place on 27 February 1891, but was postponed for unknown reasons, and eventually cancelled. Debussy, however, did not give up the project, carried on the work on his own, and undertook a triptyque for orchestra entitled *Prélude, Interlude et Paraphrase finale sur L'Après-midi d'un faune*.[2] However, being busy with the completion of his string quartet (premiere December 1893) and the composition of his opera *Pelléas et Mélisande*, he finally changed his mind and reduced the planned tryptique to its initial *Prélude*. The score was finalized during the summer of 1894, and on 23 October of that year Debussy signed a receipt for 200 francs from the publisher Georges Hartmann, assigning him all the rights for the full score and the 2-piano reduction. Hartmann, of Bavarian origin, patronized most of the young French composers of the time (including Bizet, Saint-Saëns, Lalo, Franck and more particularly Massenet), but got entangled in financial setbacks which forced him to sell his company in 1891 with the interdiction of another publishing house. However, he quickly resumed his business thanks to an authorized agent, Eugène Fromont.[3] The printed score was dedicated to Debussy's lifelong friend Raymond Bonheur, whom he had met at the Conservatoire de Paris in 1878. The publisher Jobert bought both the plates and the autograph MS in 1922.

The *Prélude à l'après-midi d'un faune* was first performed in the Salle d'Harcourt on Saturday 22 December 1894, by the Société Nationale de Musique. According to Pierre Louÿs, the orchestra conducted

1 See Pierre Boulez, *Notes of an Apprenticeship*, transl Herbert Weinstock (Knopf: New York, 1968), p345

2 François Lesure, *Claude Debussy. Biographie critique* (Klincksieck: Paris, 1994), pp115–16 and 130

3 Lesure, *Claude Debussy*, p155. Debussy's signed receipt from Hartmann is reproduced in Jean Barraqué, *Debussy* (Seuil: Paris, 1962), p93. The 2-piano reduction did not receive full attention from the composer, and its first edition contains several unclear details; see *Œuvres pour deux pianos*, ed. Noël Lee, in: *Œuvres complètes de Claude Debussy*, series I, vol. 8 (Durand-Costallat: Paris, 1986), pXVII.

by Gustave Doret did not play satisfactorily: 'the horns stank, and the rest were hardly better', he wrote to the composer the following day.[4] Nonetheless, the piece was encored and repeated on Sunday 23rd. After these two performances, Mallarmé sent a letter-card to Debussy, acknowledging that the score went 'further, indeed, into the nostalgia and the light, with finesse, with languour, with richness'.[5] However, according to a letter Debussy sent to Georges Jean-Aubryon dated 25 March 1910, Mallarmé had become enthusiastic about the score as soon as he heard it played on the piano: 'I was not expecting anything like this! The music prolongs the emotion of my poem and evokes the scenery more vividly than colour could'.[6] The work was performed again on 13 October 1895 at the Concerts Colonne. Three days earlier, on the 10th, Debussy had written to the journalist Willy (Henri Gauthier-Villars), who was to review the concert, his wittiest testimony about the score:

> The Prelude to 'L'après-midi d'un faune', cher Monsieur, might it be the leftovers of the dream at the bottom of the faun's flute? Put more simply, it is a general impression of the poem, because to follow it more closely, the music would be panting along like a cabhorse running against a thoroughbred in the Grand Prix. It's also a rebuff to that analytical spirit which encumbers our finest minds, so it shows no respect for key, preferring a mode that seeks to encompass all the nuances, as can be quite logically demonstrated. Still, it follows the ascending shape of the poem – there is all the marvellous scene-painting of the text with the added human element brought to it by 32 violinists who have got up too early in the morning! The ending is a prolongation of the last line: 'Farewell the pair of you, I'll see just the shadow you have become.'[7]

Since then, the *Prélude* spread all ov the world, sometimes conducted by t composer himself. On 29 May 191 Diaghilev's *Ballets Russes* produced a f mous and controversial choreography, which Vaslav Nijinsky danced the Faun the well-known spotted costume design by Léon Bakst.[8] The performance, ho ever, which took place at the Théâtre Châtelet, did not meet with the expect success. Debussy's refined music jarring t much with Diaghilev's dionysiac approa to the piece. The Russian company nor theless commissioned the composer to wr a new score, *Jeux*.

If Mallarmé's eclogue is rather forg ten today, the *Prélude à l'après-midi d faune* remains without any doubt Debuss most popular work – it has since been tra scribed several times for various inst mental combinations[9] – and a work wh eventually inspired many other compos such as Jacques Ibert, whose suite, *Esca* (1922), particularly in its first moveme

4 Edward Lockspeiser, 'Pierre Louÿs, Neuf lettres à Debussy (1894–1898)', *Revue de musicologie* 48 (1962), p62 (letter dated 23 December 1894)

5 Quoted from Lesure, *Claude Debussy*, p158

6 Claude Debussy, *Correspondance 1884–1918*, ed. François Lesure (Hermann Éditeurs des sciences et des arts: Paris, 1993), p265

7 Debussy, *Correspondance 1884–1918*, pp113–114

8 See the photography in *The New Grove Dictionar Music and Musicians*, ed Stanley Sadie (Macmil London, 1980), vol.5, p209

9 In addition to Debussy's own transcription for 2 pia published by Fromont, see: *Prélude à l'après-midi faune*. Transcription pour piano à quatre mains Maurice Ravel (Fromont: Paris, 1910); Transcrip pour piano seul par Léonard Borwick (From Paris, 1914); Transcription pour flûte et piano Gustave Samazeuilh (Jobert: Paris, 1925); Transc tion pour orgue par Alexandre Cellier (Jobert: P 1925).

recalls the delicate and colourful atmosphere of the *Prélude*.

Sources

The history of the score is well-documented thanks to the surviving sources supervised by the composer himself:

AFD No title in original

Six numbered folios inscribed *recta* only

Autograph of the final draft ('particell') with instrumental directions: property of the Robert Owen Lehman Foundation, and now deposited at the Pierpont Morgan Library, New York. The Foundation financed the publication, in 1963, of a facsimile edition of this source, with an introduction by Roland-Manuel.[10]

Inscription:

fol.1r top right-hand corner, in Debussy's hand: 'à ma chère et tres bonne petite Gaby/la sûre affection de/son dévoué/Claude Debussy/ Octobre 1899.'

fol.1r top left-hand corner, in Dupont's hand: 'Offert à Mr A.Cortot/par Mme G.Lhéry'.

Instrumental directions in red ink (and occasionally in pencil), bar numbers and other details in green pencil.

Debussy dedicated this draft to Gaby (Gabrielle Dupont, his mistress from 1890 to 1898) in October 1899, the same month that he married Rosalie Texier. Gabrielle Dupont (Madame Lhéry) subsequently presented the score to the pianist and collector Alfred Cortot.

AUT Original title (dedication in green pencil): '– à Raymond Bonheur –/ Prélude "à l'apres midi d'un Faune"/Claude Debussy/92'.

Extent: 26 + 2pp of blank staves

Location: *F-Pn* Grande Réserve Ms.17.685

Autograph MS of the complete score from which the Fromont print was engraved. (This AUT formerly belonged to Madame Jobert-Georges.)

Inscription, p26: 'Septembre 1894'

Barlines and rehearsal numbers in green pencil; tempo indications in blue ink.

PED Original title (p1): 'Prélude/à/ l'après-midi d'un faune/CLAUDE DEBUSSY'.

Extent: 31pp

Location: *US-R* Sibley Music Rare Books, M3.3.D28

Inscriptions:

p1, top right-hand corner: 'Epreuve corrigée/[engraver's signature:] L.Parent/26 juillet 95'; bottom right-hand corner: '[Debussy's monogram]/ Mercredi 3 Juillet 95'.

p31, printer's name added in pencil: 'Dupré'.

Proofs of the Fromont edition corrected and dated by Debussy 3 July 1895, now deposited at the Sibley Music Library, Eastman School of Music, University of Rochester (New York).

[10] Claude Debussy, *Prélude à l'après-midi d'un faune* (The Robert Owen Lehman Foundation: Washington; Lahure: Paris, 1963). Max Pommer described this source and used it as the basis of his edition of the work; see Max Pommer, ed, Claude Debussy, *Prélude à l'après-midi d'un faune/Vorspiel zum Nachmittag eines Faun* (Edition Peters: Leipzig, [1970]).

OED Claude Debussy, 'À Raymond BONHEUR/Prélude/À/"l'après-midi d'un faune" '.

Paris: Eugène Fromont, s.d.

Extent: 31pp

Original edition of 1895[11]

Plate number: E.1091F.

RDC Claude Debussy, 'À Raymond BONHEUR/Prélude/À/"l'après-midi d'un faune" '.

Paris: Eugène Fromont, s.d.

Extent: 31pp

Location: Collection François Lang, Abbaye de Royaumont, Réserve 7[12]

Debussy's own copy of OED with additions and corrections in red (occasionally in black) ink, and in blue (occasionally in black) pencil.

Inscription, title-page: 'Claude Debussy./64 [crossed out and corrected to '80' in blue pencil] avenue du Bois de Boulogne/Paris'[13]

RDC was obviously in practical use: Debussy's corrections were originally entered in pencil, and eventually erased and rewritten in red ink. Thus, RDC is very likely the copy Debussy used when he conducted the work all over Europe between February 1908 and April 1913.

11 Numerous copies are extant. The title-page of the copy deposited at the Music Department of the Bibliothèque nationale de France (Rés. Vma 321) is inscribed thus in Debussy's hand: 'à Raoul Pugno./en souvenir bien affectueux/de/Claude Debussy./Oct. 95'. From this annotation, it can be ascertained that the print was available by October 1895.

12 A description of the volume is available in: *Collection musicale François Lang. Catalogue établi par Denis Herlin* (Klincksieck: Paris, 1993), p59 (no. 200). Vincent d'Indy's copy of OED is also preserved in this collection (no. 201).

13 Debussy moved to this apartment with Emma Bardac in the autumn of 1904, and stayed there for the rest of his life. Emma sold RDC to François Lang on 1 December 1933.

RDC is the basis (copy-text) of t present edition.

Editorial Method

It is well-known that Debussy was rath careless in writing down the details of h music and in correcting proofs: accidenta dynamics, slurs, etc., are occasionally co flicting in similar passages, or even simp forgotten.[14] The directions 'div.' and 'uni in particular, indicating the division with the respective string desks are extreme confused, even contradictory, in all sourc They are faithfully reproduced here, the alization of the ambiguous places being l to the performer. Moreover, he often revis his scores, and more particularly details their instrumentation, upon hearing th performed.[15] The present score faithfully produces all the revisions Debussy insert in ink and blue pencil into his own perfor ing copy of the Fromont edition (RD OED's misprints and omissions that evad the composer's detection on the proofs (PI have been corrected here in accordance w the autograph MS (AUT) and the autogra final draft (AFD), and are documented in Textual Notes below. Editorial additions placed in square brackets without furt comment. Missing ties and slurs have be restored and are indicated by broken li tures. Bar numbers are editorial.

Jean-Paul C. Montagn

14 The famous *b* played by the first bassoon on down-beat of b91 of the *Prélude* is a case in pc the engraver, Parent, had it right in the proofs, Debussy erroneously changed it to an *a-sharp* in (p26). There can be no serious doubt that *b* is correct note: it appears thus in AUT, and the do beat of b91 is clearly identical to that of b90 w the third horn and cellos play *b*.

15 For instance the delicate punctuation of harp b73, the four staccato semiquavers of viola 2 in and various dynamic changes were likely addec ter the first performance of the *Prélude*.

VORWORT

Das *Prélude à l'après-midi d'un faune* ist nicht nur das erste Meisterwerk des jungen Achille-Claude Debussy, sondern kann auch als einer der wichtigsten – wenn nicht sogar der wichtigste – Startpunkt für die moderne Musik angesehen werden. Es lässt schon einige charakteristische und farbige Instrumentalklänge erahnen, die er selbst in seinen späteren Werken anwenden wird.[1]

Um 1890 waren Debussy und zahlreiche andere Pariser Künstler von Stéphane Mallarmés poetischer Suche nach einem Ideal entzückt, in dem extreme Sprachraffinesse und Blankverse zu einer diffusen Syntax führen. In letzterer überschreiten die Worte ihre literarische Bedeutung und werden zu reinen Klängen. Mallarmés Ekloge *L'Après-midi d'un faune*, deren erste Fassung *Monologue d'un faune* aus dem Jahr 1865 stammt, wurde 1876 vollendet und gedruckt. Debussy entdeckte das Gedicht vermutlich im März 1887 im Anschluss an seine Rückkehr nach Paris aus der italienischen Hauptstadt, in der er rund zwei Jahre gelebt hatte, nachdem er 1884 den begehrten Prix de Rom mit seiner Kantate *L'Enfant prodigue* gewonnen hatte.

Wie vor kurzem nachgewiesen werden konnte, trafen sich die beiden Künstler erstmals im Herbst 1890 durch die Vermittlung A.-Ferdinand Hérolds, des Enkels des berühmten Louis-Joseph-Ferdinand Hérold, der die erfolgreiche opéra-comique *Le Pré aux clercs* schrieb. Zu dieser Zeit suchte Mallarmé einen Komponisten, der in der Lage sei, die Bühnenmusik für eine Aufführung seines *Après-midi d'un faune* am Théâtre des arts zu schreiben. Die Uraufführung sollte am 27. Februar 1891 stattfinden, wurde jedoch aus unbekannten Gründen zunächst verschoben und fiel schließlich ganz aus. Debussy gab das Projekt jedoch nicht auf, sondern verfolgte es auf seiner Seite weiter und nahm ein Orchester-Tryptichon mit dem Titel *Prélude, Interlude et Paraphrase finale sur L'Après-midi d'un faune* in Angriff.[2] Da er aber mit der Fertigstellung seines Streichquartetts (Uraufführung im Dezember 1893) und der Komposition seiner Oper *Pelléas et Mélisande* beschäftigt war, änderte er seinen Plan und reduzierte das Projekt auf das eröffnende *Prélude*. Die Partitur wurde im Sommer 1894 beendet und am 23. Oktober unterzeichnete Debussy eine Quittung über 200 Francs, die er von dem ursprünglich aus Bayern stammenden Verleger Georges Hartmann für die Überlassung aller Rechte an der Orchesterpartitur und der Fassung für 2 Klaviere erhalten hatte. Hartmann, der einen Großteil der jungen Komponisten seiner Zeit unterstützte (darunter Bizet, Saint-Saëns, Lalo, Franck und ganz besonders Massenet), musste 1891 nach finanziellen Rückschlägen seinen Verlag auflösen mit der Auflage kein neues Verlagshaus zu gründen. Doch dank eines Strohmanns, Eugène Fromont, konnte er seine Geschäfte schon bald wiederaufnehmen.[3] Debussy widmete die gedruckte Partitur seinem lebenslangen Freund Raymond Bonheur, den er 1878 am

1 Vgl. Pierre Boulez, *Relevés d'apprenti*. Textes réunis et présentés par Paule Thévenin, Paris 1966, S. 336.

2 François Lesure, *Claude Debussy. Biographie critique*, Paris 1994, S. 115f und 130.

3 ebd., S. 155. Eine von Debussy unterzeichnete Quittung Hartmanns ist wiedergegeben in: Jean Barraqué, *Debussy*, Paris 1962, S. 93. Die Ausgabe für zwei Klaviere wurde vom Komponisten nicht sorgfältig überwacht, so dass dessen Erstausgabe im Detail zahlreiche Unklarheiten enthält; vgl. *Œuvres pour deux pianos*, hrsg. v. Noël Lee, in: *Œuvres complètes de Claude Debussy*, Reihe I, Band 8, Paris 1986, S. XVII.

Conservatoire de Paris kennen gelernt hatte. Der Verleger Jobert kaufte 1922 die Druckplatten und das Autograph.

Das *Prélude à l'après-midi d'un faune* wurde am Samstag, dem 22. Dezember 1894 im Salle d'Harcourt durch die Société Nationale de Musique uraufgeführt. Laut Pierre Louÿs spielte das von Gustave Doret dirigierte Orchester nicht fehlerlos: „Die Hörner waren widerlich und der Rest kaum besser", schrieb er dem Komponisten am folgenden Tag.[4] Dennoch wurde das Stück als Zugabe wiederholt und am Sonntag, dem 23. 12. nochmals aufgeführt. Nach diesen beiden Aufführungen sandte Mallarmé Debussy eine Karte, in der er bestätigt, die Partitur gehe „wirklich noch viel weiter in der Sehnsucht und dem Licht, mit ihrer Finesse, Melancholie und ihrem Reichtum".[5] Gleichwohl war Mallarmé – laut eines Briefes von Debussy an Georges Jean-Aubry vom 25. März 1910 – bereits überzeugt, als er das Werk am Klavier gespielt hörte: „Etwas derartiges hatte ich nicht erwartet! Diese Musik erweitert die Emotionen meines Gedichts und setzt es weit leidenschaftlicher in Szene als es Malerei vermöchte".[6] Am 13. Oktober 1895 wurde das Stück in den Concerts Colonne erneut aufgeführt. Drei Tage zuvor, am 10., schrieb Debussy an den Journalisten Willy (Henri Gauthiers-Villars), der das Konzert besprechen sollte, seine geistreichste Aussage über das Sujet der Partitur:

> „Ist, werter Herr, das Prélude à l'après-midi d'un faune nicht vielleicht das, was vom Traum in der Flöte des Faunes übrig geblieben ist? Genauer gesagt: es ist der allgemeine Eindruck des Gedichts, denn folgte die Musik ihm zu genau, würde es außer Atem geraten wie ein Droschkenpferd, das mit einem Vollblüter um den Grand Prix konkurriert. Es ist auch Ausdruck meiner Verachtung für das pedantische „Fachidioten"-Denken, das unsere kühnsten Köpfe belastet, ohne Respekt für die Tonart! Vielmehr ist es in einem Modus, der sich bemüht, alle Nuancen zu umfassen, was sehr logisch zu beweisen ist. Nun folgt es der aufsteigenden Bewegung des Gedichtes und dazu kommt die im Text wunderbar beschriebene Szenerie, zusammen mit der Menschlichkeit, zu der 32 zu früh aufgestandene Streicher beitragen! Das Ende ist der verlängerte letzte Vers: Leb wohl, Paar! Ich werde den Schatten sehen, zu dem du geworden bist."[7]

Seitdem hat sich das *Prélude* über [illegible] ganze Welt verbreitet – zuweilen auch un[illegible] dem Dirigat des Komponisten selbst. A[illegible] 29. Mai 1912 produzierte Serge Diaghile[illegible] Ballets Russe eine berühmte und umstritte[illegible] Choreographie, in der Vaslav Nijinsky ([illegible] berühmten gefleckten Kostüm von Lé[illegible] Bakst) den *Faune* tanzte.[8] Diese Auff[illegible]rung im Théâtre du Châtelet fand jedo[illegible] nicht den erwarteten Erfolg, da Debus[illegible] feinsinnige Musik nicht zu der diony[illegible]schen Auffassung Diaghilevs passte. D[illegible]noch beauftragte die russische Kompa[illegible] den Komponisten eine neue Partitur (*Je*[illegible] zu schreiben.

Wenn auch Mallarmés Ekloge heute w[illegible]gehend vergessen ist, so bleibt das *Préh*[illegible]

[4] Edward Lockspeiser, *Pierre Louÿs, Neuf Lettres à Debussy (1894–1898)*, in: *Revue de musicologie* 48 (1962), S. 62 (Brief vom 23. Dezember 1894).

[5] Zitiert nach Lesure, *Claude Debussy*, S. 158.

[6] Claude Debussy, *Correspondance 1884–1918*, zusammengestellt und hrsg. v. François Lesure, Paris 1993, S. 265.

[7] Debussy, *Correspondance 1884–1918*, S. 113f.

[8] Vgl. die Photographie in *The New Grove Dictio*[illegible] *of Music and Musicians*, hrsg. v. Stanley S[illegible] London 1980, Bd. 5, S. 209.

à l'après-midi d'un faune zweifellos Debussys populärstes Werk. Es wurde inzwischen mehrmals für die unterschiedlichsten Instrumentalbesetzungen transkribiert[9] und ist ein Stück, das in der Folge zahlreiche andere Komponisten angeregt hat – darunter Jacques Ibert, dessen Suite *Escales* (1922) besonders im ersten Satz an die feine und farbenreiche Atmosphäre des *Prélude* erinnert.

Quellen

Die Geschichte der Partitur ist dank der erhaltenen, von Debussy selbst überwachten Quellen gut dokumentiert:

AFD Kein Originaltitel

Sechs paginierte Bögen, von denen lediglich die recto-Seiten beschrieben sind.

Autographe Endskizze („Particell") mit Instrumentationsangaben. Eigentum der Robert Owen Lehman Foundation und zur Zeit in der Pierpont Morgan Library, New York aufbewahrt. Die Stiftung finanzierte 1963 eine Faksimile-Edition dieser Quelle mit einem Vorwort von Roland-Manuel.[10]

9 Neben Debussys eigener Transkription für 2 Klaviere, die bei Fromont erschien, vgl. auch: *Prélude à l'après-midi d'un faune*. Transcription pour piano à quatre mains par Maurice Ravel (Paris: Fromont 1910); Transcription pour piano seul par Léonard Borwick (Paris: Fromont 1914); Transcription pour flûte et piano par Gustave Samazeuilh (Paris: Jobert 1925); Transcription pour orgue par Alexandre Cellier (Paris: Jobert 1925).

10 Claude Debussy, *Prélude à l'après-midi d'un faune*, Washington: The Robert Owen Lehman Foundation; Paris: Lahure 1963. Max Pommer beschrieb diese Quelle und nahm sie als Grundlage für seine Edition dieses Werkes; siehe Max Pommer (Hrsg.), Claude Debussy, *Prélude à l'après-midi d'un faune/Vorspiel zum Nachmittag eines Faun*, Leipzig: Editions Peters [1970].

Auf fol. 1r: in der rechten oberen Ecke von Debussys Hand: *à ma chère et très bonne petite Gaby/la sûre affection de/son dévoué/Claude Debussy/Octobre 1899.*

in der linken oberen Ecke von Duponts Hand: *Offert à Mr A. Cortot/par Mme G. Lhéry.*

Instrumentenangaben in roter Tinte (teilweise auch mit Bleistift), Taktziffern und weitere Angaben mit grünem Stift.

Debussy widmete diese Skizze Gaby (Gabrielle Dupont, seine Geliebte von 1890 bis 1898) im Oktober 1899, dem selben Monat, in dem er Rosalie Texier heiratete. Gabrielle Dupont (Madame Lhéry) schenkte sie später dem berühmten Pianisten Alfred Cortot.

AUT Originaltitel (Widmung mit grünen Stift): *– à Raymond Bonheur – / Prélude „à l'après midi d'un Faune" / Claude Debussy / 92.*

Umfang: 26 Seiten + 2 rastrierte Leerseiten

Aufbewahrungsort: *F-Pn* Grande Résrve Ms. 17.685

Autographes Manuskript der gesamten Partitur, die dem Verlag Fromont als Stichvorlage diente. (AUT gehörte früher Madame Jobert-Georges.)

Datierung: auf S. 26: *Septembre 1894*

Taktstriche und Studierziffern mit grünem Stift, Tempoangaben in blauer Tinte.

PED Originaltitel (im selben Format wie auf S. 1): *Prélude/à/l'après-midi d'un faune/CLAUDE DEBUSSY.*

Umfang: 31 Seiten

Aufbewahrungsort: *US-R* Sibley music Rare Books, M3.3.D28

S. 1: in der rechten oberen Ecke: *Epreuve corrigée*/[Unterschrift des Stechers:] *L. Parent/26 juillet 95*

in der unteren rechten Ecke: [Debussys Monogramm]/*Mercredi 3 Juillet 95*.

Auf S. 31: Name des Druckers (in Bleistift hinzugefügt): *Dupré*

Korrekturexemplar der Ausgabe von Fromont, die von Debussy laut Eintrag am 3 Juli 1895 korrigiert wurde. Heute aufbewahrt in der Sibley Music Library, Eastman School of Music, University of Rochester (New York).

OED Claude Debussy, *À Raymond BONHEUR/Prélude/à/„l'après-midi d'un faune"*.

Paris: Eugène Fromont, o.J.

Umfang: 31 Seiten

Originalausgabe von 1895[11]

Plattennummer: E. 1091 F.

RDC Claude Debussy, *À Raymond BONHEUR/Prélude/à/„l'après-midi d'un faune"*.

Paris: Eugène Fromont, o.J.

Umfang: 31 Seiten

Aufbewahrungsort: Françoise Lan Abbaye de Royaumont (Fran reich), Réserve 7.[12]

Debussys eigenes Handexempl von OED mit Ergänzungen und Ko rekturen in roter (gelegentlich au schwarzer) Tinte und mit blaue Stift (gelegentlich auch Bleistift).

Auf dem Titelblatt: *Claude Debus /64* [durchgestrichen und in „8 korrigiert mit blauem Stift] *aven du Bois de Boulogne/Paris*.[13]

RDC wurde allem Anschein nach Dirigierpartitur benutzt: Debuss ursprünglich mit Bleistift eingetr gen Korrekturen wurden später a radiert und mit roter Tinte neu g schrieben. RDC ist sehr wahrschei lich die Partitur, aus der Debus das Werk zwischen Februar 19 und April 1913 in ganz Europa di gierte.

Auf RDC basiert auch die vorliegen Edition.

11 Zahlreiche Exemplare sind erhalten. Das Exemplar im Département de la musique in der Bibliothèque nationale de France (Rés. Vma 321) wurde Raoul Pugno geschenkt. Es trägt auf dem Titelblatt Debussys Widmung *à Raoul Pugno. / en souvenir bien affectueux / de / Claude Debussy. / Oct. 95*. Aufgrund dieser Anmerkung kann davon ausgegangen werden, dass die gedruckte Partitur im Oktober 1895 erhältlich war.

12 Eine Beschreibung dieser Ausgabe findet sich *Collection musicale François Lang. Catalogue é par Denis Herlin*, Paris 1993, S. 59 (Nr. 2 Vincent d'Indys Exemplar von OED ist ebenfall dieser Sammlung enthalten (Nr. 201).

13 Debussy zog im Herbst 1904 mit Emma Barda diese Wohnung ein und wohnte dort bis zu sei Tod. Emma verkaufte RDC am 1. Dezember 193 François Lang.

Zur Edition

Es ist allgemein bekannt, dass Debussy weder in der Notation von Details seiner Musik noch im Korrekturenlesen sehr genau war: Akzidentien, dynamischen Zeichen, Bögen u.a. divergieren gelegentlich an Parallelstellen oder werden ganz vergessen.[14] Im Besonderen die Anweisungen „div.“ und „unis“, welche die Teilung innerhalb der jeweiligen Streicherpulte anzeigen, sind in allen Quellen äußerst verwirrt, ja sogar widersprüchlich. Hier werden sie getreu wiedergegeben, wobei die Ausführung der zweideutigen Stellen dem Spieler überlassen bleiben. Außerdem überarbeitete er oft seine Partituren – darunter besonders Details in der Instrumentation – nachdem er sie in Aufführungen gehört hatte.[15] Die vorliegende Partitur gibt alle Änderungen getreu wieder, die Debussy in seine eigene Ausgabe von Fromonts Edition (RDC) mit blauem Stift und Tinte eingetragen hat. Druckfehler und Auslassungen in OED, die Debussy in dem Korrekturexemplar (PED) nicht entdeckt hatte, wurden nach dem Autograph (AUT) und dem autographen Particell (AFD) korrigiert. Sie sind in den Einzelanmerkungen aufgeführt. Herausgeberzusätze stehen ohne weitere Anmerkungen in eckigen Klammern. Fehlende Bögen wurden ergänzt und mittels Strichelung kenntlich gemacht. Die Taktzählung stammt ebenfalls vom Herausgeber.

Jean-Paul C. Montagnier
Übersetzung: Ann-Katrin Heimer

14 Das berühmte *h* des 1. Fagott auf der Zählzeit 1 von T. 91 des *Prélude* ist ein exzellentes Beispiel: Der Stecher, Parent, notierte es richtig in seinem Korrekturabzug, aber Debussy änderte es am Mittwoch, den 3. Juli 1895 versehentlich in PED in *ais* (S. 26). Es kann keinen Zweifel daran geben, dass *h* die korrekte Note ist: es erscheint in AUT und die 1. Zählzeit in T. 91 ist eindeutig identisch mit der von T. 90, in der das 3. Horn und die Celli ein *h* spielen.

15 Zum Beispiel wurden die Betonungszeichen für das Pizzicato der 1. Harfe in T. 73, die vier Staccato-Sechzehntel der 2. Viola in T. 93 und verschiedene dynamische Änderungen ziemlich sicher erst nach der Premiere des *Prélude* hinzugefügt.

PRÉFACE

Le *Prélude à l'après-midi d'un faune* est non seulement le premier chef-d'œuvre du jeune Achille-Claude Debussy, mais il peut encore être considéré comme l'un des points de départ les plus importants – sinon le plus important – de la musique moderne, préfigurant certaines caractéristiques et certaines touches de couleurs instrumentales qu'il emploiera dans des œuvres ultérieures[1].

Vers 1890, Debussy et de nombreux autres artistes parisiens furent enchantés par la quête poétique de Stéphane Mallarmé d'un Idéal, dans lequel l'extrême raffinement de la langue et les vers blancs conduisent à une syntaxe diffuse. Dans cette dernière, les mots transcendent leur sens littéral pour eux-mêmes devenir de véritables sons. L'églogue de Mallarmé, *L'Après-midi d'un faune* – dont le premier état, *Monologue d'un faune*, remonte à 1865 – fut achevé et publié en 1876. Debussy découvrit probablement le poème à son retour à Paris, après qu'il eut quitté la capitale italienne en mars 1887, où il avait séjourné environ deux ans, suite à l'obtention du très convoité prix de Rome en juin 1884 avec sa cantate *L'Enfant prodigue*.

Comme on l'a récemment montré, les deux artistes se rencontrèrent pour la première fois à l'automne 1890 par l'intermédiaire d'A.-Ferdinand Hérold, petit-fils du célèbre Louis-Joseph-Ferdinand Hérold, auteur de l'opéra-comique à succès *Le Pré aux clercs* (1832). À cette époque, Mallarmé recherchait un compositeur capable d'écrire de la musique de scène pour une production de son *Après-midi d'un faune* au Théâtre des arts. La création devait avoir lieu le 27 février 1891, mais fut reportée pour des raisons inconnues et finalement annulée. Debussy, toutefois, n'abandonna pas le projet, poursuivit son travail de son côté et entreprit un triptyque pour orchestre intitulé *Prélude, Interlude et Paraphrase finale sur L'Après-midi d'un faune*[2]. Mais, étant accaparé par l'achèvement de son quatuor à cordes (offert au public pour la première fois en décembre 1893) et la composition de son opéra *Pelléas et Mélisande*, il changea finalement d'idée et réduisit son projet de triptyque au *Prélude* initial. La partition fut mise au point durant l'été 1894; le 23 octobre, Debussy signa un reçu pour 200 francs de l'éditeur Georges Hartmann, lui cédant tous les droits de la partition d'orchestre et de la réduction pour deux pianos. Hartmann, d'origine bavaroise, mécénait la plupart des jeunes créateurs du moment (Bizet, Saint-Saëns, Lalo, Franck et plus particulièrement Massenet), mais se trouva pris dans des revers financiers qui le forcèrent à liquider sa compagnie en 1891, avec interdiction de fonder une nouvelle maison d'édition. Malgré tout, il se remit très vite aux affaires grâce à un prête-nom, Eugène Fromont[3]. Debussy dédia la partition imprimée à son ami de toujours, Raymond Bonheur, qu'il avait rencontré au Conservatoire de Paris en

[1] Cf. Pierre Boulez, *Relevés d'apprenti*. Textes réunis et présentés par Paule Thévenin (Paris: Éditions du Seuil, 1966), p. 336.

[2] François Lesure, *Claude Debussy. Biographie critique* (Paris: Klincksieck, 1994), pp. 115–16 et p. 130.

[3] Lesure, *Claude Debussy*, p. 155. Le reçu d'Hartmann signé par Debussy est reproduit dans Jean Barraqué, *Debussy* (Paris: Éditions du Seuil, 1962), p. 93. La réduction pour deux pianos ne retint pas toute l'attention du compositeur et sa première édition contient plusieurs ambiguïtés de détails; cf. *Œuvres pour deux pianos*, éd. Noël Lee, in *Œuvres complètes de Claude Debussy*, série I, vol. 8 (Paris: Durand-Costallat, 1986), p. XVII.

1878. L'éditeur Jobert acheta les planches et le manuscrit autographe en 1922.

Le Prélude à l'après-midi d'un faune fut joué pour la première fois à la salle d'Harcourt par la Société Nationale de Musique le samedi 22 décembre 1894. À en croire Pierre Louÿs, l'orchestre dirigé par Gustave Doret ne fut pas irréprochable: 'Les cors étaient infects et le reste guère meilleur' écrivit-il le lendemain[4]. Néanmoins, la pièce fut bissée et redonnée le dimanche 23. Suite à ces deux exécutions, Mallarmé envoya une carte à Debussy, dans laquelle il reconnaissait que la partition allait 'bien plus loin, vraiment, dans la nostalgie et dans la lumière, avec finesse, avec malaise, avec richesse'[5]. Toutefois, d'après une lettre que Debussy adressa à Georges Jean-Aubry le 25 mars 1910, Mallarmé avait été conquis par la pièce dès qu'il l'eut entendu jouer au piano: 'Je ne m'attendais pas à quelque chose de pareil! Cette musique prolonge l'émotion de mon poème et en situe le décor plus passionnément que la couleur'[6]. L'œuvre fut exécutée à nouveau le 13 octobre 1895 aux Concerts Colonne. Trois jours auparavant, le 10, Debussy écrivit au journaliste Willy (Henri Gauthiers-Villars), qui devait rédiger le compte rendu du concert, son plus piquant témoignage au sujet de la partition:

> Le Prélude à l'après-midi d'un faune, cher Monsieur, c'est peut-être ce qui est resté de rêve au fond de la flûte du faune? Plus précisément, c'est l'impression générale du poème, car à le suivre de plus près, la musique s'essoufflerait ainsi qu'un cheval de fiacre concourant pour le Grand Prix avec un pur sang. C'est aussi le dédain de cette 'science de castor' qui alourdit nos plus fiers cerveaux, puis, c'est sans respect pour le ton! et plutôt dans un mode qui essaie de contenir toutes les nuances, ce qui est très logiquement démontrable. Maintenant, cela suit tout de même le mouvement ascendant du poème, et c'est le décor merveilleusement décrit du texte, avec, en plus, l'humanité qu'apportent trente-deux violonistes levés de trop bonne heure! La fin, c'est le dernier vers prolongé: 'Couple adieu! Je vais voir l'ombre que tu devins'[7].

Dès lors, le *Prélude* se répandit dans monde entier, parfois sous la baguette compositeur lui-même. Le 29 mai 1912, Ballets Russe de Serge Diaghilev produisire une célèbre et très controversée choré graphie, dans laquelle Vaslav Nijinsky dan le *Faune* dans le fameux costume tach dessiné par Léon Bakst[8]. Le spectacle, c eut lieu au théâtre du Châtelet, ne renco tra pas le succès escompté, la musiq raffinée de Debussy jurant trop avec la l ture dionysiaque de Diaghilev. La comp gnie russe passa cependant commande l'auteur d'une nouvelle partition, *Jeux*.

Si l'églogue de Mallarmé est plu oubliée de nos jours, le *Prélude à l'apr midi d'un faune* demeure sans conte l'œuvre la plus populaire de Debussy – e fut transcrite pour différents instrument plusieurs reprises [9] – et une œuvre qui i

[4] Edward Lockspeiser, 'Pierre Louÿs, Neuf lettres à Debussy (1894–1898)', *Revue de musicologie* 48 (1962), p. 62 (lettre datée du 23 décembre 1894).

[5] Cité d'après Lesure, *Claude Debussy*, p. 158.

[6] Claude Debussy, *Correspondance 1884–1918*. Réunie et présentée par François Lesure (Paris: Hermann Éditeurs des sciences et des arts, 1993), p. 265.

[7] Debussy, *Correspondance 1884–1918*, pp. 113–11

[8] Cf. la photographie dans *The New Grove Diction of Music and Musicians*, sous la direction de Sta Sadie (Londres: Macmillan, 1980), vol.5, p. 209.

[9] Outre la propre transcription de Debussy pour d pianos publiée par Fromont, cf. *Prélude à l'ap midi d'un faune*. Transcription pour piano à qu mains par Maurice Ravel (Paris: Fromont, 19 transcription pour piano seul par Léonard Borwi

pira par la suite de nombreux autres compositeurs comme Jacques Ibert, dont la suite *Escales* (1922), et plus particulièrement son premier mouvement, rappelle peu ou prou l'atmosphère délicate et colorée du *Prélude*.

Sources

L'histoire de la partition est assez bien connue grâce aux sources supervisées par Debussy lui-même:

AFD Pas de titre original.

Six folios numérotés écrits sur le recto uniquement.

Esquisse finale autographe ('particelle') avec indications d'instrumentation appartenant à la Robert Owen Lehman Foundation, et maintenant conservée à la Pierpont Morgan Library, New York. En 1963, la Fondation a financé une édition facsimilé de cette source avec un Avant-propos de Roland-Manuel[10].

Au fol. 1r: Coin supérieur droit, de la main de Debussy: 'à ma chère et tres bonne petite Gaby/la sûre affection de/son dévoué/Claude Debussy/Octobre 1899.'

Coin supérieur gauche, de la main de Dupont: 'Offert à Mr A.Cortot/par Mme G.Lhéry'.

Indications d'instrumentation à l'encre rouge (et parfois au crayon), numéros de mesure et autres détails au crayon vert.

Debussy dédia cette esquisse à Gaby (Gabrielle Dupont, sa maîtresse de 1890 à 1898) en octobre 1899, le mois même ou il épousa Rosalie Texier. Plus tard, Gabrielle Dupont (Madame Lhéry) l'offrit au célèbre pianiste Alfred Cortot.

AUT Titre original (dédicace au crayon vert): '– à Raymond Bonheur – /Prélude "à l'apres midi d'un Faune"/Claude Debussy/92'.

26p. + 2p. de portées vides.

F-Pn Grande Réserve Ms.17.685.

Manuscrit autographe de la partition complète à partir duquel l'édition Fromont fut gravée. (Cet AUT fut un temps la propriété de Madame Jobert-Georges.)

À la page 26: 'Septembre 1894'.

Barres de mesure et repères numérotés au crayon vert; indications de tempo à l'encre bleue.

PED Titre original (tel qu'il apparaît à la page 1): *Prélude/à/l'après-midi d'un faune/CLAUDE DEBUSSY.*

31p.

US-R Sibley Music Rare Books, M3.3.D28

À la page 1: Coin supérieur droit: 'Epreuve corrigée/[signature du graveur:]L.Parent/26 juillet 95'.

Coin inférieur droit: '[Monogramme de Debussy]/Mercredi 3 Juillet 95'.

À la page 31: nom de l'imprimeur ajouté au crayon: 'Dupré'. Épreuves de l'édition Fromont corrigées par Debussy le mercredi 3 juillet 1895, et maintenant déposées à la Sibley Music Library, Eastman School of

(Paris: Fromont, 1914); transcription pour flûte et piano par Gustave Samazeuilh (Paris: Jobert, 1925); transcription pour orgue par Alexandre Cellier (Paris: Jobert, 1925).

Claude Debussy, Prélude à l'après-midi d'un faune (Washington: The Robert Owen Lehman Foundation; Paris: Lahure, 1963). Max Pommer a décrit et utilisé cette source pour éditer l'œuvre; cf. Max Pommer, éd., *Claude Debussy, Prélude à l'après-midi d'un Faune/Vorspiel zum Nachmittag eines Faun* (Leipzig: Édition Peters, [1970]).

Music, University of Rochester, Rochester (New York).

OED Claude Debussy, 'À Raymond BONHEUR/Prélude/à/' "l'après-midi d'un faune" '. Paris: Eugène Fromont, s.d.

31p.

Édition originale de 1895[11].

Numéro des planches de l'éditeur: E.1091F.

RDC Claude Debussy, 'À Raymond BONHEUR/Prélude/à/"l'après-midi d'un faune" '. Paris: Eugène Fromont, s.d.

31p.

Collection François Lang, Abbaye de Royaumont (France). Réserve 7[12].

Exemplaire personnel de Debussy de l'OED avec ajouts et corrections à l'encre rouge (parfois noire) et au crayon bleu (parfois noir).

Sur la page de titre: 'Claude Debussy,/64 [barré et corrigé en '80' au crayon bleu] avenue du Bois de Boulogne/Paris'[13].

De toute évidente, RDC fut utilisé pour dirigier l'œuvre: les corrections de Debussy furent d'abord inscrites au crayon de papier, puis effacées et réécrites à l'encre rouge. De fa
RDC est très probablement l'exer
plaire que Debussy utilisa pour di
ger sa pièce à travers l'Europe ent
février 1908 et avril 1913.

RDC est la base de la présente éditio

Méthode éditoriale

Il est bien connu que Debussy n'était guè
méticuleux dans la notation des détails
sa musique et dans la correction des épre
ves: les accidents, les signes de dynamiq
les liaisons, etc. divergent parfois dans
passages similaires ou sont tout simp
ment manquants[14]. Les indication (« div
et « unis »), notamment signalant la di
sion au sein des pupitres de cordes sont
trêmement confuses, voire contradictoir
dans toutes les sources. Nous les avo
scrupuleusement reproduites ici en laina
à l'interprête le soin de la réalisation
endroits ambigus. Par ailleurs, il révis
souvent ses œuvres, et plus particuliè
ment leur instrumentation, suite à l
audition[15]. La présente partition reprod
fidèlement toutes les modifications que D
bussy apporta à l'encre et au crayon b
dans son exemplaire de l'édition From
(RDC). Les fautes d'impression et les om

11 Nombreux exemplaires conservés. Celui déposé au Département de la musique de la Bibliothèque nationale de France (Rés. Vma 321) fut offert à Raoul Pugno. Sur la page de titre, Debussy inscrivit: 'à Raoul Pugno./en souvenir bien affectueux/de/Claude Debussy./Oct. 95'. De cette annotation, on peut affirmer que la partition imprimée était disponible en octobre 1895.

12 Pour une description du volume, cf. *Collection musicale François Lang. Catalogue établi par Denis Herlin* (Paris: Klincksieck, 1993), p. 59 (no.200). Cette collection conserve encore l'exemplaire d'OED que possédait Vincent d'Indy (no.201).

13 Debussy déménagea dans cet appartement avec Emma Bardac dans l'automne 1904, et y resta jusqu'à la fin de sa vie. Emma vendit RDC à François Lang le premier décembre 1933.

14 Le fameux *si* joué par le premier basson sur le
mier temps de la mesure 91 du *Prélude* est un e
lent exemple: cette note fut correctement gravée
Parent sur les épreuves, mais Debussy lui substi
par erreur, un *la dièse* le mercredi 3 juillet 1895 (
p. 26). Il ne fait guère de doute que le *si* soit la b
note: un *si* figure dans AUT, et le premier temps
mesure 91 est sans conteste identique à celui d
mesure 90 où le troisième cor et les violonc
jouent un *si*.

15 Par exemple, la délicate ponctuation de la harp
la mesure 73, les quatre doubles-croches stacc
des altos II à la mesure 93 et les divers changem
de nuances furent très certainement ajoutés apr
première audition du *Prélude*.

sions dans OED que Debussy n'a pas détectées dans les épreuves (PED) ont été corrigées ici en accord avec le manuscrit autographe (AUT) et l'esquisse finale autographe (AFD), et sont signalées dans l'apparat critique. Les ajouts éditoriaux sont placés entre crochets carrés sans autre commentaire. Les arcs de liaison manquants sont restitués en pointillés. La numérotation des mesures est éditoriale.

Jean-Paul C. Montagnier

Textual Notes

Sources

AFD = Autograph final draft
AUT = Autograph full score
PED = Proofs of the original edition corrected by Debussy
OED = Original edition of the full score, Fromont, Paris 1895
RDC = Debussy's personal marked copy of OED deposited at the Abbaye de Royaumor
copy-text of the present edition

Abbreviations

Instrumental abbreviations as in the present score

Str. = Strings
n(n) = note(s)
b(b) = bar(s)
bt(s) = beat(s)
sb = semibreve (whole note)
m = minim (1/2 note)
cr = crotchet (1/4 note)
q = quaver (1/8 note)
sq = semiquaver (1/16 note) etc

The following textual notes do not attempt to report all the variant source readings, t describe variants between the main source and copy-text (RDC), the original edition (OE and the present Eulenburg edition. Debussy did not systematically correct OED's mispri and omissions in RDC; thus, the few corrections he entered in RDC are always listed in t textual notes. (Conversely, misprints and omissions in OED which were not corrected RDC are not listed.) Variants between the autograph MS (AUT) and OED are recorded wh the former has been used to correct misprints and omissions in the latter. All metrono indications derive from RDC and are not further distinguished by editorial markings.

Bar	Comment
3	Fl pencilled breathing mark (') between nn4–5 in RDC
4, 7	Cor 1 tenuto dashes (–) from AUT
5, 8, 9	Cor 3 bt1 crescendo mark (<), bt2 decrescendo mark (>) in OED and AUT
10	Cors 1/3 *p*> in OED and AUT; n2 slur to b11 missing in OED
11	Cors 1/3 one 𝄾 missing in OED
14	Vn II bt3 low e♯ from AUT
15	Vlles n2 dot missing in OED
17	Cb bt3 2cr rests in OED

18 Cb 'unies' in OED '(réunies)' in AUT

Vn II bt3 last chord of the bar has low c𝄪 in OED, thus:  . AUT is ambiguous: b has been retained in accordance with b19.

19 All parts bts2–3 no *f* in OED, AUT

20 Cl 'Solo' from AUT

22 Fl nn16–17 2qs in OED; dotted q+q in AUT; AFD has:

27 Fl 1 n12, Fl 2 n8 ♯ missing before g in AUT, OED; added in RDC

28 Bn 1 bt2 crescendo hairpin from RDC; bt4 dynamics from RDC

29–32 Tempo indications from RDC

31 Altos n1 tenuto mark (–) from AUT

bb1, 3 nn3–5: in OED the engraver presumably omitted slur on p8 because of page turn (pp8–9); the slur appear on downbeat of b32

31, 34 Harpe 1 dynamics from RDC

Vlles n10 tenuto mark (–) from AUT

32 Tempo indication in AUT: '(Dans ce 3/4 les ♪ gardent la même valeur que dans la mesure précédente')

Cl bt3 dynamic from AUT

Str bt3 *sfz* in OED; *p* in blue pencil in RDC

40 Vn I bt2 slur from AUT

41 Cors 1/2 *mf* from AUT

44 Fls 2/3 accents (>) from RDC

Cl 1, Bn 1 nn1–5 slurs from RDC

Cors 2/3 bts1,3 cr in OED; dynamics from RDC; Altos, Vlles, Cb *mf* from RDC; Altos, Vlles tenuto dashes (–) from RDC

48 Tempo indication in AUT: '(En retenant jusqu'au 4♭)'

49 Cor 1 staccato dots from AUT

50 Fl 2 *dim.* from AUT

Bn 2 *dim.* from RDC

Harpe 2 tenuto dashes (–) and direction '(en dehors)' from RDC

51 Tempo indication in AUT: '(Dans le premier mouvement)'

53 Cl nn2–3 erroneously tied in OED

54 Tempo indication from RDC

54–55 Bn 2 slur from RDC

55–58 Wind 4–bar slurs from RDC

55 Pencilled metronome mark erased from RDC: '60 = ♩'

56 Vn I/II, Altos staccato dots from AUT

57 Fl n1 tenuto dash (–) from AUT

Wind n1 accent (>) from RDC

58 Vn I/II, Altos n2 staccato dots from AUT

59 Vn II n1 tied to previous in AUT; OED is ambiguous: engraver presumab omitted ties on p16 because of page turn (pp15–16)

62 Dynamic marks from RDC

Cor 1 nn7–8 slur missing in OED

63 Fl 1 nn1–2 decrescendo mark from AUT; Bn1 n1 end of an erroneous slur OED

63–70 Wind, Cors 1-bar and 2-bar slurs from RDC

63, 67 Tempo directions from RDC

64 Vns, Altos, Vlles bt3 portamento lines from RDC

67 Harpe 2 l.h. n1 erroneously cr in OED

Fl 2/3 n2–3 b♭/D♭ in OED corrected here as in the AUT

69 Harpe 2 l.h. erroneous F4 clef in OED

71 Altos, Vlles bts2–3: OED has erroneous expressive slurs thus: RDC has a pencilled correction according to AUT.

72 Vn, Altos, Vlles bts2–3 OED has the same error as b71: the engraver was e dently confused by the unclear notation of the slurs and decrescendo signs AUT

73–74 Tempo indication from RDC

78 Vn solo *pp* from AUT

83 Cors pencilled breathing mark (') after the last beat in RDC

Altos low e missing in OED

83, 84 Hb nn3–4 crescendo mark in AUT which suggests the editorial addition in b

90 Fl1 n3 ♯ missing in OED

91 Bn 1 n1 b from AUT; Debussy (erroneously?) changed it to a♯ in PED, anc was printed as such in OED

92 Vlles n2 d′ in OED and AUT

Vlles, Cb n2 tenuto dashes (–) and dynamic marks from RDC

Altos erroneous 'Div.' in OED

93 Cor angl n1 *mf* in OED

Cor 1 bts3–4 OED reads ; bt3 tenuto dash (–) and dynaı mark from RDC

Vns nn1–4 editorial staccato dots in accordance with Altos part

94 Fl bt3 "3" instead of "6"

99 Hb bts2–3 dynamic mark from RDC

Vlles solo AUT specifies 'sourdines'

100, 101 Harpe 1 and Vn solo dynamic marks from RDC

Vlles solo bts1–2 dynamic marks from AUT and RDC; direction 'expressif (un peu en dehors)' from RDC

102 Hb bt1 decrescendo sign (>) from AUT and RDC; bt2 dynamic marks from RDC

Vlles solo '(sourdines)' from RDC

103 Tempo indication '(a tempo)' in OED; crossed out in RDC (AUT has no indication)

Vn solo '(sourdines)' from AUT (where it is crossed out) and RDC

105 Vn solo, Vn I/II, Altos, Vlles solo: bt2 *pp* from RDC

Vlles, Cb dynamic marks from RDC

106 Inscription beneath the bar in OED: 'L.Parent, grav.'

110 Inscription at bottom r.h. corner of OED: 'Imp.Duprè rue du Delta 26'

L'Après-midi d'un faune

Églogue par Stéphane Mallarmé

LE FAUNE

Ces Nymphes, je les veux perpétuer.

Si clair,
Leur incarnat léger, qu'il voltige dans l'air
Assoupi de sommeils touffus.

Aimai-je un rêve?

Mon doute, amas de nuit ancienne, s'achève
En maint rameau subtil, qui, demeuré les vrais
Bois mêmes, prouve, hélas! que bien seul je m'offrais
Pour triomphe la faute idéale de roses.

Réfléchissons . . .

ou si les femmes dont tu gloses
Figurent un souhait de tes sens fabuleux!
Faune, l'illusion s'échappe des yeux bleus
Et froids, comme une source en pleurs, de la plus chaste:
Mais, l'autre tout soupirs, dis-tu qu'elle contraste
Comme brise du jour chaude dans ta toison?
Que non! par l'immobile et lasse pâmoison
Suffoquant de chaleurs le matin frais s'il lutte,
Ne murmure point d'eau que ne verse ma flûte
Au bosquet arrosé d'accords; et le seul vent
Hors des deux tuyaux prompt à s'exhaler avant
Qu'il disperse le son dans une pluie aride,
C'est, à l'horizon pas remué d'une ride,
Le visible et serein souffle artificiel
De l'inspiration, qui regagne le ciel.

Ô bords siciliens d'un calme marécage
Qu'à l'envi des soleils ma vanité saccage,
Tacites sous les fleurs d'étincelles, CONTEZ
« *Que je coupais ici les creux roseaux domptés*
« *Par le talent; quand, sur l'or glauque de lointaines*
« *Verdures dédiant leur vigne à des fontaines,*
« *Ondoie une blancheur animale au repos:*
« *Et qu'au prélude lent où naissent les pipeaux,*
« *Ce vol de cygnes, non! de naïades se sauve*
« *Ou plonge . . .* »

Inerte, tout brûle dans l'heure fauve
Sans marquer par quel art ensemble détala
Trop d'hymen souhaité de qui cherche le *la*:
Alors m'éveillerais-je à la ferveur première,
Droit et seul, sous un flot antique de lumière,
Lys! et l'un de vous tous pour l'ingénuité.

Autre que ce doux rien par leur lèvre ébruité,
Le baiser, qui tout bas des perfides assure,
Mon sein, vierge de preuve, atteste une morsure
Mystérieuse, due à quelque auguste dent;
Mais, bast! arcane tel élut pour confident
Le jonc vaste et jumeau dont sous l'azur on joue:
Qui, détournant à soi le trouble de la joue,
Rêve, dans un solo long, que nous amusions
La beauté d'alentour par des confusions
Fausses entre elle-même et notre chant crédule;
Et de faire aussi haut que l'amour se module
Évanouir du songe ordinaire de dos
Ou de flanc pur suivis avec mes regards clos,
Une sonore, vaine et monotone ligne.

Tâche donc, instrument des fuites, ô maligne,
Syrinx, de refleurir aux lacs où tu m'attends!
Moi, de ma rumeur fier, je vais parler longtemps
Des déesses; et, par d'idolâtres peintures,
À leur ombre enlever encore des ceintures:
Ainsi, quand des raisins j'ai sucé la clarté,
Pour bannir un regret par ma feinte écarté,
Rieur, j'élève au ciel d'été la grappe vide
Et, soufflant dans ses peaux lumineuses, avide
D'ivresse, jusqu'au soir je regarde au travers.

Ô nymphes, regonflons des SOUVENIRS divers.
« *Mon œil, trouant les joncs, dardait chaque encolure*
« *Immortelle, qui noie en l'onde sa brûlure*
« *Avec un cri de rage au ciel de la forêt;*
« *Et le splendide bain de cheveux disparaît*
« *Dans les clartés et les frissons, ô pierreries!*
« *J'accours; quand, à mes pieds, s'entrejoignent (meurtries*
« *De la langueur goûtée à ce mal d'être deux)*
« *Des dormeuses parmi leurs seuls bras hasardeux;*
« *Je les ravis, sans les désenlacer, et vole*
« *À ce massif, haï par l'ombrage frivole,*
« *De roses tarissant tout parfum au soleil,*
« *Où notre ébat au jour consumé soit pareil.* »

XXIV

Je t'adore, courroux des vierges, ô délice
Farouche du sacré fardeau nu qui se glisse
Pour fuir ma lèvre en feu buvant, comme un éclair
Tressaille! la frayeur secrète de la chair:
Des pieds de l'inhumaine au cœur de la timide
Que délaisse à la fois une innocence, humide
De larmes folles ou de moins tristes vapeurs.
« *Mon crime, c'est d'avoir, gai de vaincre ces peurs*
« *Traîtresses, divisé la touffe échevelée*
« *De baisers que les dieux gardaient si bien mêlée;*
« *Car, à peine j'allais cacher un rire ardent*
« *Sous les replis heureux d'une seule (gardant*
« *Par un doigt simple, afin que sa candeur de plume*
« *Se teignît à l'émoi de sa sœur qui s'allume,*
« *La petite, naïve et ne rougissant pas:)*
« *Que de mes bras, défaits par de vagues trépas,*
« *Cette proie, à jamais ingrate, se délivre*
« *Sans pitié du sanglot dont j'étais encore ivre.* »

Tant pis! vers le bonheur d'autres m'entraîneront
Par leur tresse nouée aux cornes de mon front:
Tu sais, ma passion, que, pourpre et déjà mûre,
Chaque grenade éclate et d'abeilles murmure;
Et notre sang, épris de qui le va saisir,
Coule pour tout l'essaim éternel du désir.
À l'heure où ce bois d'or et de cendres se teinte
Une fête s'exalte en la feuillée éteinte:
Etna! c'est parmi toi visité de Vénus
Sur ta lave posant ses talons ingénus,
Quand tonne un somme triste où s'épuise la flamme.
Je tiens la reine!

Ô sûr châtiment . . .

Non, mais l'âme
De paroles vacante et ce corps alourdi
Tard succombent au fier silence de midi:
Sans plus il faut dormir en l'oubli du blasphème,
Sur la sable altéré gisant et comme j'aime
Ouvrir ma bouche à l'astre efficace des vins!

Couple, adieu; je vais voir l'ombre que tu devins.

Programme original probablement rédigé par Debussy[16]:

La musique de ce Prélude est une illustration très libre du beau poème de Stéphane Mallarmé. Elle ne prétend nullement à une synthèse de celui-ci. Ce sont plutôt les décors successifs à travers lesquels se meuvent les désirs et les rêves du Faune dans la chaleur de cet après-midi. Puis las de poursuivre la fuite peureuse des nymphes et des naïades, il se laisse aller au sommeil enivrant, rempli de songes enfin réalisés, de possession totale dans l'universelle nature.

Original programme note probably written by Debussy:

The music of this Prelude is a very free illustration to Stephane Mallarmé's beautiful poem. It does not follow the poet's conception exactly, but describes the successive scenes among which the wishes and dreams of the Faun wander in the heat of the afternoon. Then, tired with pursuing the fearful flight of the nymphs and naiades, he abandons himself to the delightful sleep, full of visions finally realised, of full possession amid universal nature.
Translation]

Originale Programm-Anmerkung vermutlich von Debussy geschrieben:

Die Musik dieses Prélude ist eine sehr freie Illustration zu Stéphan Mallarmés schönem Gedicht. Sie erhebt nicht den Anspruch, eine Zusammenfassung der Dichtung zu sein. Sie ist vielmehr eine Aneinanderreihung von Dekorationen, vor denen sich die Sehnsucht und die Träume des Fauns in der Hitze dieses Nachmittags bewegen. Dann, der Verfolgung der ängstlichen Flucht von Nymphen und Najaden überdrüssig, überlässt er sich dem berauschenden Schlaf, erfüllt von Traumbildern, die letztlich Wirklichkeit werden, erfüllt vom Gefühl gänzlicher Vereinnahmung in der allumfassenden Natur.
Übersetzung]

16 Cité d'après François Lesure, *Catalogue de l'œuvre de Claude Debussy* (Genève: Minkoff, 1977), no. 86, pp. 86–87.

PRÉLUDE

à l'après-midi d'un faune

À Raymond BONHEUR

Claude Debussy
(1862–1918)

Edited by Jean-Paul C. Montagnier

4
Fl. 1
Hb. 1 2
Cl. (A) 1 2
Cors (F) 1 3
Harpes 1 2
glissando
Vn. I II
Altos
Vlles
Cb.
sourdine
div.
[div.]
p
pp

1
1. Solo
Fl. 1
l. (A) 1 2
1
:s (F)
3
più p
Iarpe 2
pp
ppp
Vn. II
div.
sur la touche
Altos
[unis]
'lles
Cb.
à 2

12
Fl. 1
3
Hb. 1 2
[1.]
p
Cl. (A) 1 2
pp
1
Cors (F)
p
3
p
Vn. II
Altos
Vlles
Cb.

15
1
Fl.
2
3
2.
p cre
Hb.
1.
expressif
à 2
C.A.
(A)
[1.]
Bn.
p
s (F)
Vn. II
position nat.
cre
ltos
lles
Cb.

18
Fl.
1
2
3
- scen - - do
Hb.
1
2
[f]
C.A.
Cl. (A)
à 2
[1.] Solo
dim. et retenu
Bn.
Cors (F)
dim.
div.
Vn.
I
II
cresc.
Altos
Vlles
unis
Cb.

2
21
Solo
légèrement et expressif
Fl. 1
2
rs (F)
4
1
arpes
2
Vn. II
Altos
Vlles
Cb.
pizz.
22
Fl. 1
2
(F)
4
Vn. II
ltos
div.
lles

23
Fl. 1
Harpes
1
2
pp
unis
Vn. II
Altos
Vlles
Cb.
24
Fl. 1
Cl. (A) 1 2
Bn. 1
Cor (F) 1
Vn. II
Altos
Vlles
p
pizz.
unis pizz.
pp

26
Fl. 1
p
3
l. (A) 1 2
Bn. 1
[1.]
1
rs (F)
à 2
2 4
pp
1
5
rpes
2
p
div.
arco
Vn. II
arco
ltos
arco
'lles
Cb.

27
Fl.
1
2
à 2
Cors (F)
2
4
div.
Altos
div.
Vlles
Cédez
28
Fl.
1
2
f
[f]
Bn. 1
p
p
div.
Vn. II
unis
dim.
p
unis
Altos
dim.
div.
p
Vlles
dim.
p
arco
Cb.
div.
[dim.
p]

3
(Au Mvt.)
30
Fl. 1
(A) 1
Bn. 1
sourdines
1
2
(F)
sourdines
3
4
ipe 1
I
Vn.
ôtez vite les sourdines
II
ôtez vite les sourdines
ltos
ôtez vite les sourdines
[unis]
lles
[unis]
pizz.
Cb.

(Sans trainer)
32
Fl. 1
tr
mf
Cl. (A) 1
Bn. 1
p
1
2
Cors (F)
3
4
Harpe 1
p
p
I
Vn.
II
pizz.
p
pizz.
p
arco
Altos
pizz.
p
arco
p
Vlles
pizz.
p
Cb.

34
Fl. 1
(A) 1
Bn. 1
1
2
(F)
3
4
rpe 1
I
Vn.
II
tos
lles
Cb.
mf
p
sfz
f
arco
pp
div.

35
Fl. 1
Cl. (A) 1
Bn. 1
Cors (F)
1
2
3
4
ôtez les sourdines
ôtez les sourdines
Harpe 1
Vn.
I
II
pizz.
div.
arco
Altos
Vlles
Cb.
unis

4
En animant ♩. = 72
37
Fl. 1
1. Solo
Hb. 1 2
doux et expressif
cre - -
à 2
scen - - do
C.A.
cre - -
scen - - do
(A) 1 2
1.
cresc.
2.
Bn. 1 2
p
cresc.
1 2
(F)
3 4
cresc.
p
arco
I
Vn.
cresc.
II
[unis]
p
cre - -
scen - - do
Altos
p
cre - -
scen - - do
arco
Celles
p
cre - -
scen - - do
div.
Cb.
p
p

41
Fl. 1
Hb. 1 2
C.A.
Cl. (A) 1 2
1.
Changez en Sib
Bn. 1 2
Cors (F) 1 2
3
Vn. I
II
Altos
Vlles
div.
[unis]
arco
div.
Cb.

5 Toujours en animant
44
Fl.
1
2
3
Hb.
1
2
C.A.
(B♭)
1
2
Bn.
1
2
(F)
1
2
3
4
I
Vn.
II
Altos
Vlles
Cb.
cresc.
1.
à 2
p cresc.
3.
mf
f
3
6
[unis]
unis

46
Fl.
1
2
3
Hb.
1
2
C.A.
Cl. (B♭)
1
2
Bn.
1
2
Cors (F)
1
2
3
4
Vn.
I
II
Altos
Vlles
Cb.
f
f très en dehors
dim.
1.
3.
f (en dehors)
più f
div.

retenu
6
1.er mouv.t (♩ = 60)
49
Fl.
1
2
3
2.
p dim.
ppp
C.A.
B♭) 1
Solo
p doux et expressif
Bn.
p dim.
pp
(F)
1.
p dim.
pp
pp
pp
pes
1
2
p
pp (en dehors)
pp
Vn.
I
II
div.
[div.]
p dim.
pp
ltos
lles
Cb.

cédez un peu
Même mouv.t
très soutenu
53
Fl.
1
2
p
p expressif et très so
Hb. 1
C.A.
p expressif et très so
Cl. (B♭)
1.
p expressif et très so
Bn.
Cors (F) 1
Vn.
I
II
pp
Altos
[div.]
Vlles
[unis]
pizz.
Cb.
pp

56
7
Fl.
1
2
3
à 2
Hb. 1
C.A.
B♭)
1
2
Bn.
1
2
(F)
3
4
I
Vn.
II
Altos
Celles
Cb.
mf
p
cre
pp
arco
div.

60
Fl.
1
2
3
à 2
Hb.
1
2
à 2
C.A.
Cl. (B♭)
1
2
Bn.
1
2
1.
mf cresc.
- scen - - do
f
più f
Cors (F)
1
2
4
Vn.
I
II
cresc.
unis
Altos
Vlles
Cb.

en animant
63
Fl.
1
2
3
pp subito
à 2
Hb.
1
2
C.A.
B♭)
1.
Bn.
pp [subito]
(F)
4
pp
pes
très expressif et très soutenu
unis
Vn.
I
II
ltos
lles
div.
Cb.
pp [subito]

65
Fl.
1
2
3
cre - - - scen - - do
Hb.
1
2
à 2
Cl. (B♭)
1
2
Bn.
1
2
Cors (F)
1
2
4
Harpes
1
2
Vn.
I
II
Altos
Vlles
Cb.
[scen - - - do]

Toujours animé
67
Fl.
1
2
3
Hb.
1
2
C.A.
Bb)
1
2
Bn.
1
2
(F)
1
2
3
4
3.
4.
pes
1
2
Vn.
I
II
ltos
lles
Cb.
mp
cre - - scen - - do molto

69
Fl.
1
2
3
Hb.
1
2
C.A.
Cl. (B♭)
1
2
Bn.
1
2
Cors (F)
1
2
3
4
Harpes
1
2
Vn.
I
II
Altos
Vlles
Cb.
[unis]

71
Fl.
1
2
3
Hb.
C.A.
B♭)
Bn.
à 2
1.
(F)
pes
Vn.
I
II
ltos
lles
Cb.
mf
f

73
cédez un peu
♩=60
Cl. (B♭) 1
p expressif et doux
p très doux
Cors (F)
Harpe 1
sfz
1. Solo
p doux et expressif
gli altri
Vn.
I
II
div.
Altos
Vlles
Cb.
76
Hb. 1
pp très doux
Cl. (B♭) 1
più p
Cors (F)
[più p]
Solo
Vn. I
Cb.

8
Mouv! du Début ♩ = 84
79
doux et expressif
Fl. 1
p
Hb. 1
(B♭) 1
1
2
(F)
3
sourdines
sourdines
arpe 1
pp
Solo
I
Vn.
II
div.
pp
[sourdines]
div.
ltos
pp
div.
lles
pp
div.
[sourdines]
Cb.
pp

81
Fl. 1
Cl. (B♭) 1 2
pp
Bn. 1 2
pp
Harpe 1
Vn. II
Altos
Vlles
Cb.

Un peu plus animé
83
Fl. 1
pp
Hb. 1
p
sfz
sfz [>]
(B♭) 1 2
pp
p
Bn. 1 2
s (F) 1 2
3
arpe 1
préparez le ton de Mi♭
Vn. II
[unis]
pizz.
ltos
pizz.
lles
pizz.
arco
Cb.
pizz.
arco

85
1
Fl.
2
3
Hb.
1
2
C.A.
Cl. (B♭)
1
2
Bn.
1
2
1.
Cors (F)
1
2
3
[tutti div.]
[arco]
sur la touche
Vn.
I
II
arco [unis]
sur la touche
Altos
arco [unis]
sur la touche
Vlles
arco [unis]
sur la touche
div.
Cb.
arco
pp

9
1er mouvt
86
doux et expressif
Hb. 1
p
(Bb) 1 2
Bn. 1 2
1 2
(F)
3
pp
1
rpes
2
accordez sur Si#-Do♮, Ré#-Mib, Fa#-Solb, La#-Sib
[div.]
pos. nat.
Vn. II
div.
pos. nat.
ltos
unis
pos. nat.
lles
div.
Cb.

88
Hb. 1
3
Cl. (B♭) 1 2
Changez
pp
Bn. 1 2
pp
Harpe 1
Vn. II
Altos
div.
Vlles
Cb.

dans le mouvt plus animé
90
Fl.
Hb.
C.A.
(A)
Bn.
s (F)
arpe
glissando
Vn. II
pizz.
ltos
lles
Cb.

91
Fl. 1
2 3
Hb. 1
C.A.
Cl. (A) 1 2
Bn. 1 2
Cors (F) 1 2
3
Harpe 2
Vn. II
Altos
Vlles
Cb.
p
sfz
pp
glissando
arco
pizz.

92
Fl.
1
2
3
Hb. 1
C.A.
(A)
Bn.
[ôtez les sourdines]
cuivré
s (F)
[ôtez les sourdines]
arpe 2
arco
Vn. II
[unis]
arco
ltos
unis
arco
lles
unis
arco
Cb.

93
retenu
10
Dans le 1er mouv.t avec plu
langueur
Fl.
p expressif et doux
C.A.
Cl. (A)
Cors (F)
à 2
Cymb. ant.
sur la touche
divisés
Vn.
Altos
Vlles
div.
Cb.

95
Fl.
1
2
Hb. 1
(A) 1 2
à 2
Bn. 1
s (F) 3 4
ant.
deux 1rs Vns
sans sourdines
Solo
très doux et expressif
I
Vn.
II
ltos
1er Vlle Solo
[sans sourdines]
Solo
lles

98
Fl.
1
2
Hb. 1
Cl. (A)
1
2
Bn.
1
2
Cors (F)
1
2
3
4
1.
sourdine
pesante
sourdine
Cymb. ant.
Harpe 1
2 Solo
Vn.
I
II
pos. nat.
Altos
expressif (un peu en dehors)
Solo
Vlles
Cb.

101
11
Retenu
Fl. 1
Hb. 1
C.A.
. (A) 1 2
Bn. 1 2
1 2
s (F)
3 4
. ant.
arpe 1
Solo
Vn. I
Altos
sourdines
Solo
Vlle.
Cb.

12
Très retenu
Très lent et très rete
jusqu'à la fin
103
Fl. 1
Hb. 1
Solo
C.A.
Cors (F)
sourdines
Harpes 1 2
pesante
2 Solo
sourdines
Vn.
I
II
Altos
Solo
Vlles
Cb.

107
Fl.
1
2
3
pp
rs (F)
1
3
pp
. ant.
ppp
Harpe 1
p
pp
unis
I
Vn.
II
Altos
Vlles
div. pizz.
ppp
Cb.
pizz.